I ELLIS, AM BYTH

Testun a lluniau © Maisie Paradise Shearring 2018
Y cyhoeddiad Cymraeg © 2019 Gwasg y Dref Wen Cyf.

Mae Maisie Paradise Shearring wedi datgan ei hawliau moesol.

Defnyddiwyd paent, craeon pensil, inc, peniau brwsh a *collage* i greu y lluniau yn y llyfr hwn.
Gyda diolch i Suznne Carnell, Helen Weir a Sharon King-Chai

Cyhoeddwyd gyntaf yn Saesneg yn 2018
gan Two Hoots
argraffnod o Pan Macmillan
20 New Wharf Road, Llundain N1 9RR
dan y teitl *Anna and Otis*
Cyhoeddwyd yn Gymraeg 2019 gan Wasg y Dref Wen Cyf.
28 Ffordd yr Eglwys, Yr Eglwys Newydd,
Caerdydd CF14 2EA
Ffôn 029 20617860.
Cyhoeddwyd gyda chymorth ariannol
Cyngor Llyfrau Cymru.

Argraffwyd yn China.

MAISIE PARADISE SHEARRING

HAF ac OSIAN

Addaswyd gan Elin Meek

DREF WEN W

Roedd Haf ac Osian yn ffrindiau gorau.
Roedden nhw wrth eu bodd yn chwilota gyda'i
gilydd. Bydden nhw wrthi o fore gwyn tan nos,
yn mynd ar anturiaethau yn yr ardd.

Bydden nhw'n cael hwyl a hanner gyda'i gilydd!

Bydden nhw'n ffraeo weithiau
ac yn pwdu …

… ond bydden nhw'n ffrindiau eto
mewn dim o dro.

Un prynhawn dioglyd, meddai Haf, "Dwi'n meddwl
y dylen ni fynd i weld y dref fory, Osian. Rhaid bod
llond y lle o anturiaethau newydd i ni yno."

Doedd Osian ddim yn gwybod beth i'w ddweud. Roedd
e'n gwybod bod rhai pobl yn ofni nadroedd, hyd yn oed
rhai fel fe, oedd ddim yn beryglus. Felly doedd e erioed
wedi mentro ymhellach na'i gartref neu'r ardd.

Roedd Osian yn gweld sut roedd Gareth drws nesaf yn syllu arno dros y ffens …

… a sut roedd y postmon yn rhoi
ei lythyrau drwy'r drws.

Os mai dyma sut roedd dau berson yn teimlo amdano,
beth fyddai tref gyfan yn ei feddwl, tybed?

"Paid â phoeni, Osian," meddai Haf. "Rwyt ti'n arbennig. Dim ond pobl ddwl, gas fyddai ddim yn hoffi rhywun mor wych â ti."

Ond gwelodd Haf ac Osian fod y dref i gyd yn ddwl iawn. Ac yn eithaf cas, mewn gwirionedd.

Doedd Haf erioed wedi gweld Osian yn edrych
mor drist. Roedd hi'n teimlo'n grac iawn am hyn.
Sut gallai pobl fod mor gas?

"Paid â phoeni, Osian. Mae pobl yn ofnus oherwydd dydyn nhw
erioed wedi cwrdd â neidr, dyna i gyd. Dydyn nhw ddim yn dy
adnabod di eto. Beth am fod yn ddewr a rhoi cynnig arall arni?

Doedd Osian ddim yn teimlo'n ddewr iawn
ond doedd e ddim eisiau siomi Haf chwaith.

Ac felly, dyma Haf yn cerdded
yn syth i mewn i'r siop agosaf,
siop trin gwallt Selwyn.

"Helô," meddai Haf, "wnewch chi dorri fy ngwallt, plîs? Ac mae Osian, fy ffrind, eisiau siampŵ!"

Roedd Osian yn ofnus iawn. Ond, yn union fel roedd Haf wedi dweud wrtho, dyma fe'n gwenu ac yn dweud, "Helô."

Roedd Selwyn yn torri gwallt yr un bobl drwy'r
flwyddyn gron. Felly, er nad oedd gwallt gan Osian,
roedd Selwyn wrth ei fodd yn
cael sgwrsio â rhywun
newydd.

Roedd Osian yn
edrych yn wych ar ôl
cael siampŵ hefyd.

Dywedodd Selwyn wrth ei gwsmeriaid a'i ffrindiau i gyd,
a dywedon nhw wrth eu ffrindiau hefyd.

Nesaf, aeth Haf ac Osian i siop Olwynion Sali.
"Helô," meddai Haf. "Hoffwn i fwrdd sglefrio i mi
ac olwynion i Osian, os gwelwch chi'n dda!"

Unwaith eto roedd Osian yn ofnus. Ond
yn union fel roedd Haf wedi dweud wrtho,
dyma fe'n gwenu ac yn dweud,

Roedd dod o hyd i'r olwynion perffaith
i Osian ychydig yn fwy anodd nag arfer.

Ond ar ôl i Sali ddod o hyd i'r rhai cywir …

Dywedodd Sali wrth ei ffrindiau i gyd.
A dywedodd pawb yn y parc sglefrio wrth eu ffrindiau.

Ar ôl chwarae yn y parc, dywedodd pawb
wrth Haf ac Osian am ddod gyda nhw i
Gaffi Catrin i gael cinio.

Roedd gwneud ffrindiau a bod yn ddewr wedi codi
chwant bwyd ar y ddau ohonyn nhw!

Roedd Catrin y Cogydd yn poeni oherwydd doedd
hi erioed wedi gwneud cinio i neidr o'r blaen …
ond roedd Osian yn dwlu ar bob math o fwyd.

Y noson honno, cafodd Osian fynd i aros
yn nhŷ Haf. Buon nhw'n siarad fel pwll y môr
am y diwrnod gwych gawson nhw.
Dyna'r antur fwyaf erioed!
Yna o'r diwedd aethon nhw i gysgu, yn hapus braf.

Nos da, Haf.

Cysga'n dawel, Osian.

Wedi hynny, treuliodd Haf ac Osian bob dydd gyda'i gilydd,
yn chwilota ac yn mynd ar anturiaethau.
Weithiau, dim ond nhw eu dau oedd.

29,
30,
31

Ac weithiau, roedden nhw'n mynd
i gwrdd â'u ffrindiau yn y dref …

... lle roedd croeso cynnes bob amser!

COTTONWOOL COLIN

Jeanne Willis and Tony Ross

Once, there were ten baby mice.

For mice, they were BIG and bold and bouncy.

All except for Colin.

Colin was the smallest of mice.

He was very, very small.

Even for a mouse.

His mother didn't worry about
his brothers, or his sisters.
They were big enough
to look after themselves.

But she worried about Colin Smally.
She was afraid he might get hurt.
She made him sit indoors quietly.

She wouldn't
let him climb.

Or run.

Or jump.

In case he fell.

He couldn't go out in spring – in case he got wet.
Or summer – in case he got hot.
Or autumn – in case a chestnut fell on his head.

By winter, Colin was bored.
He wanted to go out into the BIG
w-i-d-e world. But his mother said,
"No, the world is too big and too wide
for you, Smally."
"You wrap Colin up in cotton wool,"
said his Grandma.

"What a good idea!" thought his mother.
And that's exactly what she did.

She wrapped him up.

Round and round and round,

so only his feet stuck out.
He was Cottonwool Colin.

At last, he was allowed out,
all wrapped up in cotton wool,
safe from rain and sun and snow.

If he fell, he would have a soft landing.
If anything fell on him, he wouldn't feel it.
He was as safe as safe could be . . . or was he?

"Oh look, a *snowball!*" laughed a little boy.
He picked Colin up and threw him . . .
SPLOSH! Into the f..f..freezing river.

Some of Colin's cotton
wool came off.
"Oh look, a meringue!"
quacked a duck.

And it chased him – Peck! Peck! Peck!
More cotton wool came off.
Colin swam and swam.
He climbed onto the bank, all bedraggled.

"Oh look, a fat white rabbit!" said the hungry fox.
And it chased him – Snap! Snap! Snap!
All the cotton wool came off.

Colin ran and ran.
He jumped down a hole.
And hid.

The fox went away.

Colin Smally
dried out in the sun.
He skipped back home,
feeling very LARGE.

His mother was **horrified.**
"Colin, where is your cotton wool?"
she shrieked. "Anything could have
happened to you!"

"Everything *did* happen to me,"
he whooped.

I got pecked.

"I got wet. I got cold.

But I swam

I got chased.

and I ran

and I jumped and . . .

 Mama, I'm *alive!*

I survived without my cotton wool!
May I go out to play again tomorrow?"
His mother took a deep breath
and said . . .

"Yes. If you must.
Take care. Take a coat. Be good.
Have fun. Love you, Smally."

Colin went out into the world.
Sometimes he got scared
and sometimes he got hurt.

But ohhhhhh . . . it was worth it!

Other books by Jeanne Willis and Tony Ross

Daft Bat
Dozy Mare
Dr Xargle's Book of Earthlets
Grill Pan Eddy
I Hate School
Killer Gorilla
Mayfly Day
Misery Moo
Really Rude Rhino
Shhh!
Tadpole's Promise